Pour mes chères belles-sœurs
K.A.

Dans la même collection :

Au bain
Je veux ma tétine
Je veux mon doudou !
Vive la piscine !
Mon meilleur ami
Sur le grand WC
Doudoulapin est sale
Doudoulapin sur le petit pot
Bonjour Saint-Nicolas !
Lise se brosse les dents
Lise fête le carnaval
Lise fête Noël

© 2008 Editions Mijade
18, rue de l'Ouvrage
B-5000 Namur

Titre original :
Mijn lieve familie
© 2008 Uitgeverij Clavis
Amsterdam – Hasselt

ISBN 978-2-87142-626-4
D/2008/3712/01

Imprimé en Chine

Kathleen Amant

La famille de Lise

Petit train

Aujourd'hui, c'est la fête chez Lise.
Toute la famille est invitée.
Maman prépare une délicieuse tarte.
Toute la maison sent bon.
Mmh…quel parfum !

Papa est en train de dresser la table.
Lise l'aide. Elle fait cela très bien !
Papa met les tasses et les petites assiettes,
et Lise dispose les petites cuillères.

Tout à coup, Lise court derrière Petit Frère.
Il a pris une cuillère sur la table.
Il n'a pas la permission !
« Ça suffit comme ça », dit papa.
« Je vais terminer seul. Vous, allez jouer ! »

Grand Frère joue avec Lise.
Pendant ce temps-là,
papa achève de dresser la table.
Et maman termine la tarte.
Et Petit Frère ? Lui aussi, il joue...

Dring! La sonnette a retenti.
Le chien se met à aboyer.
«Chut, le chien», chuchote Lise.
«Retourne te coucher dans ton panier.»

Lise ouvre la porte.
Youpie, c'est Papy et Mamy !
Ils sont toujours à l'heure.
Et parfois même,
un peu en avance.

Dring!
«Salut, Lise!» s'écrient les cousines.
Lou et Lola jouent volontiers avec Lise.
Elles dansent avec elle, ou bien
elles lui font des couettes dans les cheveux.

« Coucou, Lise ! » s'écrient les cousins.
Ben et Basile sont jumeaux.
Ils font la bise à Lise,
puis ils filent au jardin
jouer au football.

«Qui voilà!» s'exclame Oncle Jean.
Il lance Lise en l'air.
Lise a un petit rire effrayé.
Cela lui fait un peu peur,
d'être lancée si haut.

Tante Kiki a apporté des petits cadeaux,
comme toujours. Lise reçoit une poupée,
Petit Frère, un ballon, et Grand Frère, un livre.
Les fleurs sont pour maman.

On attend encore quelqu'un?
Non, toute la famille est là.
La fête peut commencer.
Mais avant de passer à table,
papa veut prendre une photo.

CHEEEESE… et ensuite, on mangera la tarte!